VANIE.

OUT COMMENCE

Il faut lire les cases dans l'ordre des chiffres indiqués et, à l'intérieur de chaque case, suivre l'ordre alphabétique. Bonne lecture.

CHOBITS

SATSUKI IGARASHI
NANASE OHKAWA
MICK NEKOI
MOKONA APAPA

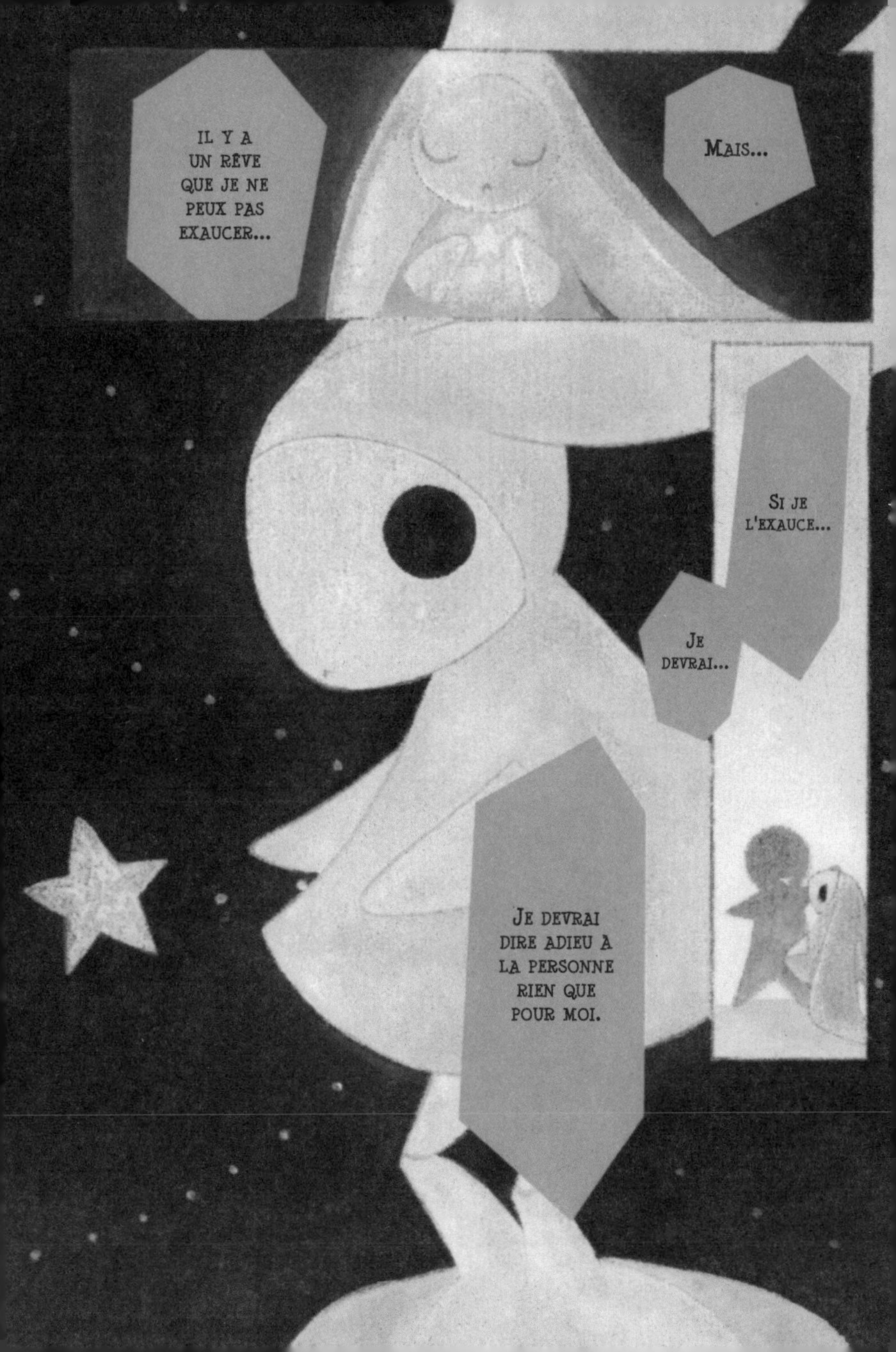
IL Y A UN RÊVE QUE JE NE PEUX PAS EXAUCER...
MAIS...
SI JE L'EXAUCE...
JE DEVRAI...
JE DEVRAI DIRE ADIEU À LA PERSONNE RIEN QUE POUR MOI.

CHOBITS
- CHAPITRE 37 -
chobits

JE DEVRAI...
LUI DIRE ADIEU...
EXACTEMENT !
PLUS JAMAIS...
TU NE LE VERRAS !

C'EST QUOI "ADIEU" ?

ÇA VEUT DIRE QUE TU NE SERAS PLUS AVEC LUI.

JE NE SERAI PLUS AVEC LUI ?

TU NE POURRAS PLUS LE VOIR.

NE PLUS LE VOIR...
NE PLUS ÊTRE AVEC LUI...
C'EST UN ADIEU ?

CE LIVRE D'IMAGES
PARLE DE TOI ET MOI.
IL PARLE DE NOTRE PASSÉ ET DE NOTRE PRÉSENT.
OUI !
ÇA PARLE DE TCHII ?
C'EST POUR ÇA QU'EN LISANT CE LIVRE...
TU AS MAL LÀ.

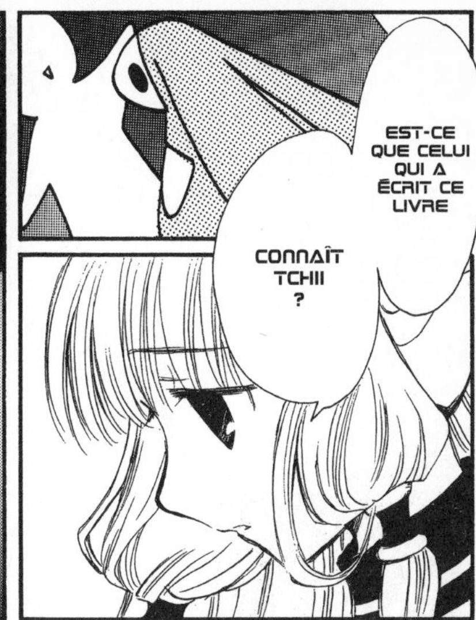
EST-CE QUE CELUI QUI A ÉCRIT CE LIVRE
CONNAÎT TCHII ?

ÉVIDEM-MENT !
IL CONNAIT TOUT DE TOI !

QUI EST-CE ?

TCHÏI-CHAN !

C'EST BIENTÔT LA FIN DE LA PAUSE !
TU ES PRÊTE ?
QUELQUE CHOSE NE VA PAS ?
ADIEU...
ÇA VEUT DIRE QU'ON NE PEUT PLUS SE VOIR...
QUOI ?
ÇA FAIT...
QUAND TCHII ESSAIE DE DIRE CE MOT...
ÇA SERRE... LÀ...
ÇA SERRE TRÈS FORT !

JE TE COMPRENDS...
C'EST UN MOT QUI BLESSE.
QUI BLESSE ?
ÇA SAIGNE ?
NON, ÇA NE BLESSE QUE LE CŒUR...
LE CŒUR...
GYU
EST-CE QUE LE PATRON A DÉJÀ DIT ADIEU À QUELQU'UN ?
NON, MAIS ON ME L'A DÉJÀ DIT...
IL N'Y A PAS SI LONGTEMPS...

BONJOUR, IL Y A QUELQU'UN ?
AH! IL Y A UNE CLIENTE!
FLAP
ÇA VA TCHII ?
TU VEUX TE REPOSER ENCORE UN PEU ? TU VEUX QUE J'APPELLE MOTOSUWA ?
TCHII VA BIEN...
FLOU FLOU
TU ES SÛRE ?
OUI
JE TE LAISSE.. JE VAIS SERVIR LA CLIENTE.
CRII
TCHII ARRIVE TOUT DE SUITE.

BONJOUR, MADAME !
QU'ON NE PEUT
~ LA VILLE DÉSERTE
ADIEU ÇA VEUT DIRE NE PLUS SE REVOIR...
ADIEU EST UN MOT QUI BLESSE...

YOROKONDÉ SIGNIFIE AVEC PLAISIR ; C'EST AUSSI LE NOM DE L'AUBERGE (IZAKAYA) OÙ TRAVAILLE MOTOSUWA.

ON POURRAIT RENTRER ENSEMBLE, SI ÇA NE TE DÉRANGE PAS...
J'AI TROUVÉ UN PETIT CAFÉ OÙ IL Y A DE TRÈS BONS GÂTEAUX...
VRAIMENT, ÇA AURAIT ÉTÉ AVEC PLAISIR, MAIS J'AI QUELQUE CHOSE À FAIRE AUJOURD'HUI...
JE SUIS VRAIMENT NAVRÉ !
AH...
C'EST PAS GRAVE...
C'EST MA FAUTE... J'AURAIS DÛ TE PRÉVENIR PLUS TÔT !
EN PLUS, JE NE SORTIRAI PAS AVANT UNE DEMI-HEURE.
ELLE EST TROP CRA-QUANTE !
ROUGIT
NON, C'EST À MOI DE M'EXCUSER !
YUMI-CHAN, TU ES VRAIMENT MIGNONNE !
WHAOU!

TU VAS FAIRE QUOI, LÀ ?
BEN... PAS GRAND-CHOSE...
JE DOIS FAIRE UN SAUT À CHILOLU.
CHILOLU... LA PÂTISSERIE ?
OUI, C'EST ÇA !
EN CE MOMENT TCHII BOSSE LÀ-BAS...
TCHII... ?
C'EST TON ORDI ?
OUI...
ELLE VOULAIT ABSOLUMENT TRAVAILLER...
ZAAA
JE TROUVE ÇA PLUS RASSURANT
QU'ELLE SOIT AVEC QUELQU'UN QUE JE CONNAIS BIEN...

YUMI-CHAN ?
ÇA NE VA PAS ?

JE SUIS DÉSOLÉE DE T'AVOIR MIS EN RETARD !
BON, À DEMAIN !
ZAP
HEIN ?
EUH...
À DEMAIN !

TAP TAP
TAP

...?

QUAND JE LUI PARLE DE TCHII, YUMI-CHAN A TOUJOURS UNE RÉACTION BIZARRE...
LES ORDIS SONT VIVANTS !
ILS NOUS SONT SUPÉRIEURS EN TOUS POINTS, C'EST NORMAL QUE LES HUMAINS CHERCHENT LEUR COMPAGNIE...
ET, POUR FINIR, ILS SE DÉSINTÉRESSENT DES AUTRES HUMAINS...
YUMI-CHAN DOIT AVOIR UN GROS PROBLÈME AVEC LES ORDIS !
OU PLUTÔT UN MAUVAIS SOUVENIR.

PÂTISSERIE CHILOLU
AH... ? JE SUIS ARRIVÉ !
BONSOIR TOUT LE MONDE !
HIDEKI ! BONSOIR !
EST-CE QUE TCHII A FINI DE TRAVAILLER ?

TU ES VENU LA CHERCHER ?
PEUT-ÊTRE QUE JE LA MATERNE UN PEU TROP...
HÉ HÉ
HIDEKI !
TAP TAP
MOTOSUWA EST VENU TE CHERCHER !
J'AI PENSÉ QU'ON POURRAIT RENTRER ENSEMBLE...
C'EST VRAI ?
EN-SEMBLE ? AVEC HIDEKI ?
TU AS BIEN TRAVAILLÉ. TU PEUX TE CHANGER !
TAP TAP
TAP TAP
OUI !

ÇA A L'AIR DE LUI FAIRE TRÈS PLAISIR QUE TU SOIS VENU !
HUM...
OUI, EUH... EN EFFET !

EUH... À PART ÇA, ELLE TRAVAILLE BIEN ?
ELLE NE FAIT PAS TROP DE BÊTISES ?
MAIS NON, ELLE EST CONSCIENCIEUSE ET ELLE COMPREND VITE !

MAIS...
AVANT QUE TCHII NE VIENNE TRAVAILLER ICI...
TU ÉTAIS SEUL DANS LE MAGASIN, NON ?

J'ESPÈRE QUE TU NE M'EN VEUX PAS ?
JE SERAIS BIEN RESTÉ TRAVAILLER ICI AVEC TOI, MAIS J'AVAIS MES COURS EN MÊME TEMPS...
PARDON !
NE T'EN FAIS PAS, VOYONS !
TU M'AS VRAIMENT BIEN AIDÉ À L'ÉPOQUE. ET PUIS, LES ÉTUDES PASSENT AVANT TOUT !
C'EST NORMAL QUE TU PENSES D'ABORD À TES EXAMENS...

ET PUIS, JUSTE APRÈS TON DÉPART, J'AI ENGAGÉ UNE FILLE POUR TE REMPLACER.
C'ÉTAIT QUELQU'UN DE BIEN... VRAIMENT...
ELLE ÉTAIT COMMENT ?
MAIS À CAUSE DE MOI, ELLE A QUITTÉ SON TRAVAIL...
AH BON...

HIDEKI !
AH
RENTREZ BIEN TOUS LES DEUX...
ET À DEMAIN ALORS !
À DEMAIN !
À PLUS...
EH BIEN...
LE PATRON N'ÉTAIT PAS DANS SON ASSIETTE...
C'EST ÉTRANGE...
QUAND JE PARLE AVEC YUMI OU AVEC LE PATRON, JE CROIS QUE JE LEUR FAIS DE LA PEINE. PEUT-ÊTRE QUE JE NE SUIS PAS TRÈS DÉLICAT...

HIDEKI...
TAP TAP
OUI ?
HIDEKI A L'AIR TRISTE.
HIDEKI A MAL ?
MAIS NON, MAIS NON, PAS DU TOUT !
ET, EN PLUS, TCHII S'INQUIÈTE À CAUSE DE MOI...
ÇA VA ?
TOUT VA BIEN !
OUI, MAIS...
TCHII EST UN ORDI.
CE N'EST PAS DE L'INQUIÉ-TUDE...
ELLE EST PROGRAMMÉE POUR ÇA !
MAIS ÇA ME FAIT QUAND MÊME TOUT DRÔLE...

PAF
PAF
ÇA NE SERT À RIEN DE SE PRENDRE LA TÊTE !
IL FAUT QUE JE GARDE LES PIEDS SUR TERRE...
POUF
ET MADE-MOISELLE HIBIYA NE DONNE PLUS SIGNE DE VIE...
JE NE SAIS PAS CE QU'IL SE PASSE, MAIS JE DOIS FAIRE GAFFE...
CHAPITRE 37 - FIN

CHOBITS

- CHAPITRE 38 -

RRR
CUI CUI
CUI CUI CUI
CLIC
DJIIIII
DEBOUT !
ZOUP ZOUP
MAÎTRE ! C'EST L'HEURE DE SE LEVER !

HEIN...
C'EST DÉJÀ L'HEURE ?
PFFF
BONJOUR HIDEKI !
HOP
BONJOUR TCHII !
HUM ?
ARGH !

WHAAAA!
TCHII, FAIS ATTENTION !
FLA
? ?
TCHI ?
EN-FIN...
POURQUOI EST-CE QUE JE N'ARRIVE PAS À M'Y HABITUER ?

MAÎTRE !
C'EST L'HEURE DE VOTRE GYM AVEC SUMOMO !
TRIIT TRIT TRIIT TRIIT TRIT
UNE DEUX !
IL ESSAYE DE CHASSER SES VILAINES IDÉES
JE NE DOIS PAS OUBLIER QUE C'EST UN ORDI !
ELLE N'A MÊME PAS DE VRAIS SEINS !

MAIS...
POF
SMILE
HÉ HÉ HÉ
AH!
BRAVO, VOUS ÊTES EN FORME CE MATIN !
BON...
MAINTE-NANT, ON VA TRAVAILLER LES JAMBES !
OOOOOOOH
FLAP FLAP FLAP

TOMB
TOMB
J'Y VAIS...
À CE SOIR !
BONNE JOURNÉE !
TU TRAVAILLES AUJOURD'HUI ?
HEIN ?
OUI !
JE FINIS TARD CE SOIR, JE NE POURRAI PAS PASSER TE PRENDRE !
ALORS FAIS ATTENTION, D'ACCORD ?
POURQUOI TCHII DOIT FAIRE ATTENTION ?
JE NE SAIS PAS VRAIMENT POURQUOI, MAIS IL VAUT MIEUX QUE TU SOIS PRUDENTE !
IL Y A PEUT-ÊTRE QUELQU'UN QUI NOUS SURVEILLE....

POURQUOI ?
JE NE SAIS PAS TROP...
TU TE SOUVIENS DE LA PHOTO QUE JE T'AI MONTRÉE ?
CELLE OÙ ON VOYAIT MADEMOISELLE HIBIYA...
MINORU M'A DIT
QUE CETTE PHOTO A ÉTÉ ENVOYÉE À MON ATTENTION...

PAR QUI ?
ÇA, J'AIMERAIS BIEN LE SAVOIR !

IL FAUDRAIT QUE JE PUISSE MONTRER CETTE PHOTO À MADEMOISELLE HIBIYA...
MAIS ELLE NE DONNE PLUS SIGNE DE VIE...

HUM...
TU DOIS ÊTRE TRÈS SPÉCIALE...
SPÉCIALE ?
JE SUIS JUSTE UN ÉTUDIANT NORMAL...
JE NE PENSE PAS QU'ON PUISSE S'INTÉRESSER À MOI...
JE CROIS PLUTÔT QUE C'EST À TOI QUE LES GENS EN VEULENT...
TCHII NE COMPREND PAS...
C'EST NORMAL, TU AS PERDU LA MÉMOIRE !
POF POF
TU ES UN ORDI TRÈS PERFECTIONNÉ, TCHII ET POURTANT QUELQU'UN T'A JETÉE...
DANS UNE RUE, COMME ÇA...
C'EST PAS NORMAL !
JE SERAIS CURIEUX D'EN SAVOIR UN PEU PLUS SUR TON ANCIEN PROPRIÉTAIRE...

TCHII NE SE SOUVIENT PAS...
SU
PARDON !
PARDON ?
POURQUOI ?
EUH...
JE NE VOULAIS PAS TE FAIRE DE MAL...
MAL...

ÇA FAIT MAL, LÀ !
FIOU

ZOU
GYUU
HIDEKI...
KYUU

HOP !
IL EST L'HEURE DE PARTIR !
SI VOUS TARDEZ, VOUS ALLEZ ÊTRE EN RETARD !
BOUMBOUM
AH !
EUH...
SCRATCH
ÉCOUTE...

SOIS PRUDENTE SURTOUT !
ET SI TU CROISES QUELQU'UN DE LOUCHE, COURS SANS TE RETOURNER !

CLAC
DAM
DAM
DAM
DAM

HIDEKI...
JE VAIS PAS BIEN, MOI ! JE LA PRENDS DANS MES BRAS MAIN-TENANT !?
DAM DAM DAM DAM DAM DAM DAM DAM DAM
MAIS... MAIS...
JE N'AVAIS PAS LE CHOIX !
TCHII AVAIT L'AIR SI TRISTE...
ALLEZ VA ! PLUS VITE QU'INTERNET ! QUE RIEN NE T'ARRÊTE !
DASH

TAP TAP
AU FAIT...
TAP TAP TAP
ELLE DISAIT AVOIR LE CŒUR GROS...
TAP TAP
EST-CE QU'ELLE EST PROGRAMMÉE POUR ÇA ?
DANS CE CAS...
VRAI-MENT...
C'EST NUL COMME PROGRAMME !
CHAPITRE 38 - FIN

CHOBITS

- CHAPITRE 39 -

TBK!
TBK!
ON VOIT DE MOINS EN MOINS DE GENS SE PROMENER ENTRE VRAIS HUMAINS...
ILS SONT TOUJOURS AVEC UN ORDI !
EH OH!
EH, HIDEKI, TU VAS OÙ, LÀ ?
AH!

EUH...
EH BEN...
JE VOULAIS JUSTE VÉRIFIER QUE LES POUBELLES DU RESTAURANT ÉTAIENT BIEN VIDÉES...
IZAKAYA YOROKONDÉ
ON SAIT JAMAIS. AHAHA !
DEMI-TOUR
TAP TIP TOUP
HMM...
DISONS PLUTÔT QUE TU ÉTAIS DANS LA LUNE... COMME D'HAB !
OUI !
PSCHH !!
HÉ HÉ
COUIC
HEUREU-SEMENT QUE TU ES VENU. SINON JE SAIS PAS COMMENT J'AURAIS FAIT...
CLAC
MOTOSUWA
POUR-QUOI, IL MANQUE QUEL-QU'UN ?

YUMI N'EST PAS VENUE !
AH BON ? QU'EST-CE QU'ELLE A ?
ELLE M'A APPELÉ TOUT À L'HEURE POUR ME PRÉVENIR...
ELLE EST MALADE ?
JE N'EN SAIS RIEN...
MAIS ELLE N'AVAIT PAS L'AIR EN FORME.
C'EST QUOI CE BON DE LIVRAISON ?
IL LUI EST ARRIVÉ QUELQUE CHOSE ?

HUM... ON S'EST RÉAPPRO-VISIONNÉS LA SEMAINE DERNIÈRE, JE CROIS...
AH...
TU TOMBES BIEN, TOI !
FLAP FLAP
TU TE SOUVIENS COMBIEN ON A COMMANDÉ DE CAISSES DE CE TRUC ?
DZZ
NOUS AVONS REÇU 14 CAISSES !
AH... OUF, MERCI BEAUCOUP !

EST-CE QUE TU PEUX ENREGISTRER CETTE FACTURE ?
COUIC
YORO-KONDÉ !

PA-TRON !
VOUS LUI AVEZ APPRIS À FAIRE YOROKONDÉ ?
COUIC
NON, ELLE L'A APPRIS TOUTE SEULE !
ELLE A PENSÉ QUE ÇA ME FERAIT PLAISIR...
BON ! IL VA FALLOIR S'Y METTRE !
FAIRE PLAISIR À SON MAÎTRE...
AVEC ÇA, HIDEKI POURRA ACHETER CE QU'IL VEUT ?

MAIS BON, IL NE FAUT PAS OUBLIER QUE LES ORDIS SONT PROGRAM-MÉS POUR ÇA...
TOUT COMME L'ORDI DU PATRON, ET COMME TCHII.
SON SOURIRE...
SON VISAGE TRISTE...
SES RÉAC-TIONS...
SI C'EST LE RÉSULTAT D'UN PROGRAMME...
ÇA NE ME PLAÎT PAS...
JE NE SAURAIS PAS VRAIMENT DIRE POURQUOI, MAIS...

JE PENSAIS QU'UN ORDI, C'ÉTAIT JUSTE PRATIQUE, QUE ÇA PERMETTAIT DE FAIRE TOUT CE QU'ON VOULAIT...
C'EST VRAI, MAIS...
PEUT-ÊTRE QUE C'EST PLUS QUE ÇA... PEUT-ÊTRE QUE ÇA RÉPOND TROP AUX ATTENTES DES HUMAINS !

TCHII EST JOLIE...
SUPER JOLIE !
MAIS C'EST UNE MACHINE !

C'EST LA GROSSE DIFFÉRENCE AVEC LES HUMAINS...

POURTANT... QUAND JE LA VOIS, JE LUI SOURIS... ET MON CŒUR S'EMBALLE...
IL N'Y A PAS SI LONGTEMPS, J'AFFIRMAIS À YUMI QUE MON ORDI N'ÉTAIT RIEN D'AUTRE QUE DE L'ÉLECTROMÉNAGER... POURTANT, ON N'EST PAS ÉMU COMME ÇA DEVANT UN FRIGO !

TCHII N'EST QU'UN ORDI...
JE SAIS BIEN QU'ELLE N'EST PAS HUMAINE...
MAIS...
MAIS ELLE COMMENCE À REPRÉSENTER UN PEU PLUS QUE ÇA POUR MOI...
JE NE SAIS PLUS QUOI PENSER D'ELLE...

LE TRAVAIL COMMENCE À 16 HEURES.
TCHII NE VEUT PAS ÊTRE EN RETARD !
YAMATANI
TIP TAP TIP
PETIT À PETIT
~ LA VILLE DÉSERTE ~

IL T'ARRIVE PLEIN DE CHOSES DEHORS.
ET TU ME RACONTES TES JOURNÉES.
MAIS TU CONTINUES À VIVRE TA VIE.
IL N'Y A PAS SI LONG-TEMPS...
TU M'AS RAMENÉ ICI.
PARFOIS, TU M'EMMÈNES AVEC TOI.

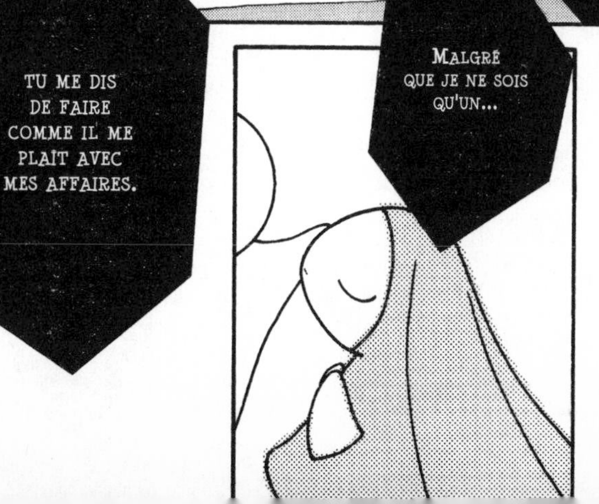
TU ME DIS DE FAIRE COMME IL ME PLAIT AVEC MES AFFAIRES.
MALGRÉ QUE JE NE SOIS QU'UN...

PETIT À PETIT,
NOTRE TEMPS S'ÉCOULE.
PETIT À PETIT,
ÇA DEVIENT NOTRE ENDROIT À TOUS LES DEUX.

PETIT À PETIT, LES RAPPORTS ÉVOLUENT...
LES RAPPORTS ENTRE TOI ET MOI.

MAIS, EST-CE QUE ÇA ÉVOLUE DANS LE BON SENS...

OU DANS LE MAUVAIS ?

JE NE SAIS PAS...

J'ESPÈRE...
DANS LE BON
SENS...
MAIS
DANS CE CAS,
TOUT RISQUE DE
RECOMMENCER
!

HYUUUU
RECOM-
MENCER...
?
ZAH
CHAPITRE 39 - FIN

CHOBITS

- CHAPITRE 40 -

MADEMOISELLE HIBIYA...
LES LUMIÈRES DE SA CHAMBRE SONT TOUJOURS ÉTEINTES... ELLE EST PARTIE EN VOYAGE ?
JE VOUDRAIS LUI PARLER DE CETTE PHOTO...

TOM
TOM
MAIS SI C'EST UN MONTAGE, ÇA RISQUE DE LUI FAIRE DE LA PEINE...
CRIC
JE SUIS LÀ !

CLAC
HEIN ?
TCHII ?
ELLE DEVRAIT ÊTRE LÀ DEPUIS LONGTEMPS...
TULULULU
BIP BIP
TÉLÉPHONE ! TÉLÉPHONE !
DZING

J'AVAIS OUBLIÉ... MINORU M'A MONTRÉ COMMENT FAIRE POUR RENVOYER TOUS MES APPELS SUR SUMOMO...
PASSE-MOI LA COMMUNICATION !
TOUT DE SUITE !
DZ
ALLÔ ? MOTOSUWA, C'EST TOI ? JE SUIS DÉSOLÉ DE TE DÉRANGER SI TARD...
UEDA !
AH JUSTEMENT JE...
CHILOLU
PÂTISSERIE CHILOLU
JE VOULAIS JUSTE SAVOIR...
SI TCHII ALLAIT BIEN ?
ELLE N'EST PAS VENUE TRAVAILLER AUJOURD'HUI, ALORS JE ME DEMANDAIS SI...

HEIN !?
TCHII N'EST PAS AVEC TOI ?
QUOI !?
ELLE N'EST PAS CHEZ TOI NON PLUS ?
EXCUSE-MOI, JE TE RAPPELLE PLUS TARD !

HIDEKI !?
HIDEKI !?
TUUT TUUT
IL A COUPÉ !
CLOC

CLOSED
TCHII...
J'ESPÈRE QU'IL NE LUI EST RIEN ARRIVÉ...
OPEN

FFF
CLAC
CLOSED
CLANG

RHAA RHAA
ELLE EST NULLE PART...
J'AI FOUILLÉ TOUT LE QUARTIER ET TOUS LES COINS QU'ELLE CONNAÎT...
GRAB
OUF ! ÇA GIGOTE DANS TOUS LES SENS, MAIS JE ME SUIS BIEN AGRIPPÉE ET JE NE SUIS PAS TOMBÉE...
OÙ ES-TU PASSÉE, TCHII ?
DEPUIS UN MOMENT, ELLE A PAS MAL DE VOCABULAIRE. ELLE POURRAIT PRESQUE SE DÉBROUILLER TOUTE SEULE SI ELLE N'ÉTAIT PAS AUSSI NAÏVE... POURVU QU'ELLE NE SE SOIT PAS LAISSÉ EMBARQUER DANS UN TRUC LOUCHE.
QUELQU'UN RIEN QUE POUR MOI
~ LA VILLE DÉSERTE ~

C'EST PAS VRAI !
LIBRAIRIE YAMATANI
CELUI QUI M'A ENVOYÉ CES PHOTOS...
N'AURAIT QUAND MÊME PAS OSÉ S'EN PRENDRE À TCHII...
PETIT À PETIT ~LA VILLE DÉSERTE~
UN RÊVE QU'ON NE PEUT EXAUCER ~LA VILLE DÉSERTE~

FLAP
UN RÊVE QU'ON NE PEUT EXAUCER.
~ LA VILLE DÉSERTE ~

FLAP
PETIT À PETI
~ LA VILLE DÉSERTE ~

J'ESPÈRE... DANS LE BON SENS...

MAIS DANS CE CAS, TOUT RISQUE DE RECOMMEN-CER...
CE NE SERA PAS COMME AVANT !

CE N'EST PAS LA MÊME PERSONNE...
LES HUMAINS SONT TOUS DIFFÉRENTS.

MÊME S'ILS SE RESSEM-BLENT...
IL N'EXISTE PAS DEUX CŒURS SEMBLABLES.
DONC, TOUT SERA DIFFÉRENT !
ALORS, EST-CE LUI, CE QUELQU'UN RIEN QUE POUR MOI ?
JE NE SAIS PAS.
POURTANT...

ICI, DANS CET ENDROIT OÙ IL M'A RAMENÉE.
PETIT À PETIT...
PETIT À PETIT...
JE COMMENCE À ESPÉRER...
TROUVER ENFIN LE BONHEUR !
JE COMMENCE À LE SOUHAITER !
MAIS...

ON VA SÛREMENT VENIR NOUS EMPÊCHER...
ON VA NOUS EMPÊCHER DE TROUVER CE QUELQU'UN RIEN QUE POUR MOI...
C'EST QUOI ÇA !?
CE TRUC NE PARLE PAS DES ORDIS EN GÉNÉRAL...
ÇA PARLE DE NOTRE HISTOIRE... DE TCHII ET DE MOI !
EXCUSEZ-MOI...
C'EST BIEN VOUS QUI ÊTES VENU IL Y A QUELQUE TEMPS POUR ACHETER CE LIVRE À VOTRE ORDI ?
EUH... OUI !

VOTRE ORDI AVAIT BIEN DES CHEVEUX LONGS COMME ÇA ?
AVEC DES BARETTES SUR DES MÈCHES, NON ?
OUI, C'EST ELLE ! C'EST TCHII !
ELLE ÉTAIT JUSTEMENT LÀ CE SOIR, ELLE LISAIT LE DERNIER VOLUME DU LIVRE QUE VOUS AVEZ ENTRE LES MAINS... ELLE NE MANQUE JAMAIS LA SORTIE D'UN NOUVEAU TOME DE CETTE SÉRIE.
SOU-DAIN...
JE ME SUIS APERÇU QU'ELLE N'ÉTAIT PLUS LÀ...
ET J'AI TROUVÉ ÇA PAR TERRE...
CHAPITRE 40 - FIN

CHOBITS

- CHAPITRE 41 -

BIP
BIP
BIP
RIEN À FAIRE...
CELUI QUI M'A ENVOYÉ CES PHOTOS EST VRAIMENT TRÈS FORT !
J'AI ENCORE PERDU SA TRACE...
IL EST VRAIMENT MALIN !

* PROCESSEUR : PIÈCE CENTRALE DE L'ORDINATEUR SERVANT À TRAITER LES INSTRUCTIONS. PLUS LE PROCESSEUR EST RAPIDE, PLUS LA MACHINE EST PUISSANTE.

MAÎTRE MINORU... ?
NON, TU N'ES PAS INUTILE...
PARFOIS, JE TE TROUVE MÊME TROP INDISPENSABLE !
SU
MAÎTRE MINORU....
GYUU

YUZUKI...
QUAND VOUS ÉTIEZ TRISTE...
C'EST COMME ÇA QUE VOTRE SŒUR VOUS PRENAIT DANS SES BRAS, N'EST-CE PAS ?

DEPUIS MA DERNIÈRE MISE À JOUR, VOUS N'AVEZ PLUS ENTRÉ DE NOUVELLES DONNÉES SUR VOTRE SŒUR...
J'EN AI BESOIN POUR ÊTRE AU PLUS PRÈS DE SON COMPORTEMENT...
S'IL VOUS PLAÎT...
OUI...
MAIS JE N'AI PLUS ENVIE !
HEIN... ?
JE N'AI PLUS ENVIE DE TE PROGRAMMER POUR QUE TU RESSEMBLES TOUJOURS PLUS À MA SŒUR...
TIP TIP

TÉLÉ-PHONE !
C'EST MONSIEUR MOTO-SUWA !
AH
PASSE-LE-MOI !
DJIII
TCHII A DISPARU !

ELLE EST IN-TROU-VABLE !

ÇA A L'AIR GRAVE, CETTE FOIS...

TU N'AS AUCUNE PISTE ?
TU AS DÉJÀ DÛ CHERCHER UN PEU PARTOUT...
NON ?

TU ES OÙ LÀ ?
J'ARRIVE TOUT DE SUITE !

OK !
ON SE RETROUVE À L'ENDROIT HABITUEL !
CLAC
LA COMMUNI-CATION EST TERMINÉE !

JE SORS !
ON AURA PEUT-ÊTRE BESOIN DE TOI POUR NOS RECHERCHES. TU PEUX VENIR SI TU VEUX !
FUIP
OH OUI ! MERCI !
TU AS TOUJOURS CE BEAU SOURIRE QUAND JE TE DEMANDE DE VENIR AVEC MOI !
C'EST QUE J'AIME BIEN VOUS ACCOMPAGNER !

CLAC
ON Y VA !
Oui !

LA COMMUNICATION EST TERMINÉE !
TCHII, OÙ ES-TU ?
LE LIBRAIRE N'A POURTANT VU PERSONNE DE SUSPECT QUAND TCHII A DISPARU...
PAF
JE DOIS VITE LA RETROUVER !
ALLEZ, SUMOMO, ON CON-TINUE !
D'AC-CORD !
GYU

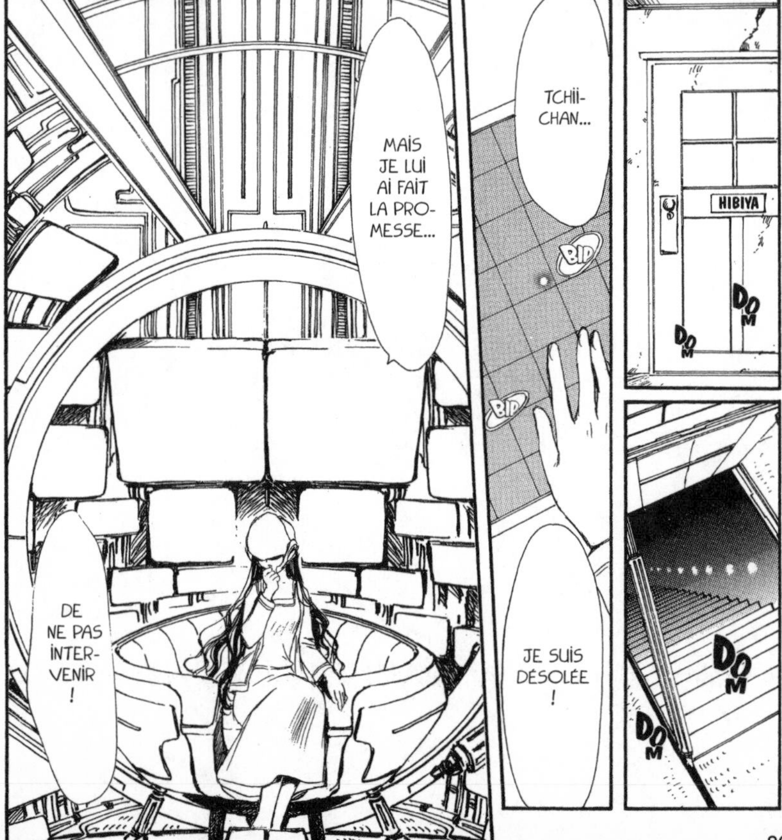
HIBIYA
DOM
DOM
TCHII-CHAN...
BIP
BIP
MAIS JE LUI AI FAIT LA PRO-MESSE...
DOM
DOM
JE SUIS DÉSOLÉE !
DE NE PAS INTER-VENIR !

FLAP
ON DIRAIT QUE LA SITUATION SE COMPLIQUE...
PFF

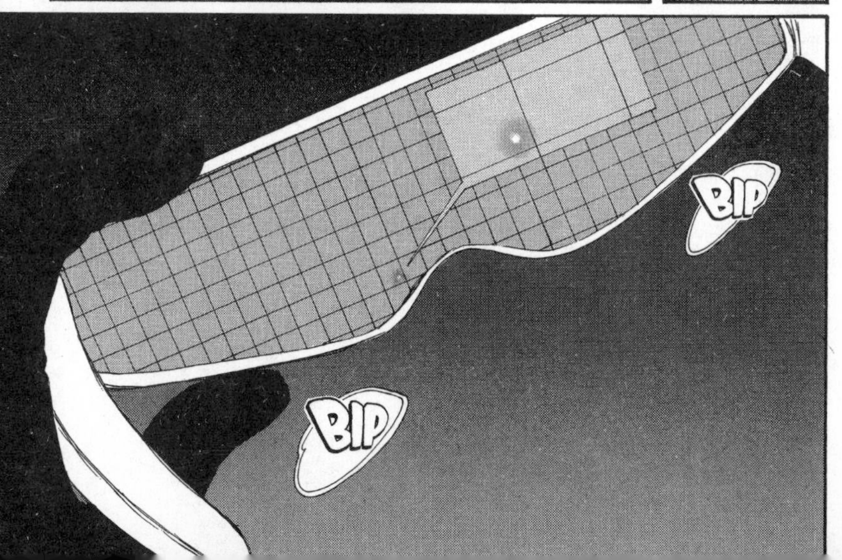
BIP
BIP

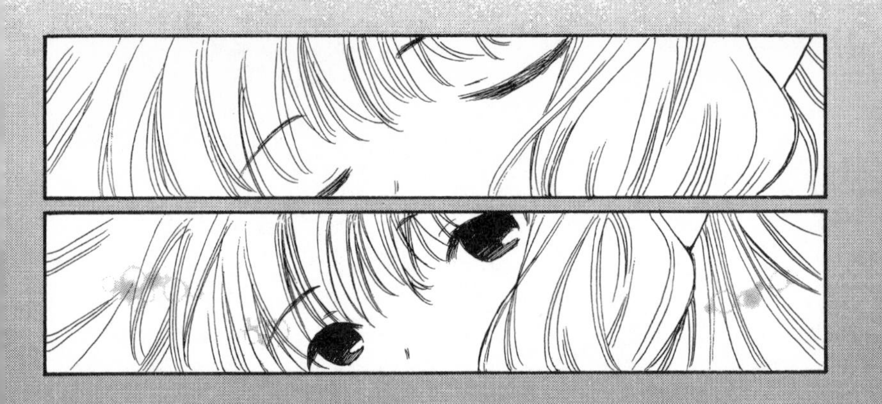

C'EST OÙ...
ICI... ?
CHAPITRE 41 - FIN

CHOBITS

- CHAPITRE 42 -

TCHII...
NE CONNAÎT PAS CET ENDROIT...
CE N'EST PAS LA CHAMBRE DE HIDEKI...
POURQUOI TCHII EST ICI ?

TU AS ÉTÉ ENLEVÉE !

ENLE-VÉE ?

OUI !
TU AS ÉTÉ ENLEVÉE DE FORCE...
C'EST UN KID-NAPPING !
ZOUP
KID-NAPPING ?
ÇA SE MANGE ?
BADA BOUM
KURA KURA
TU ES BÊTE, OU TU LE FAIS EXPRÈS ?
TCHII ?

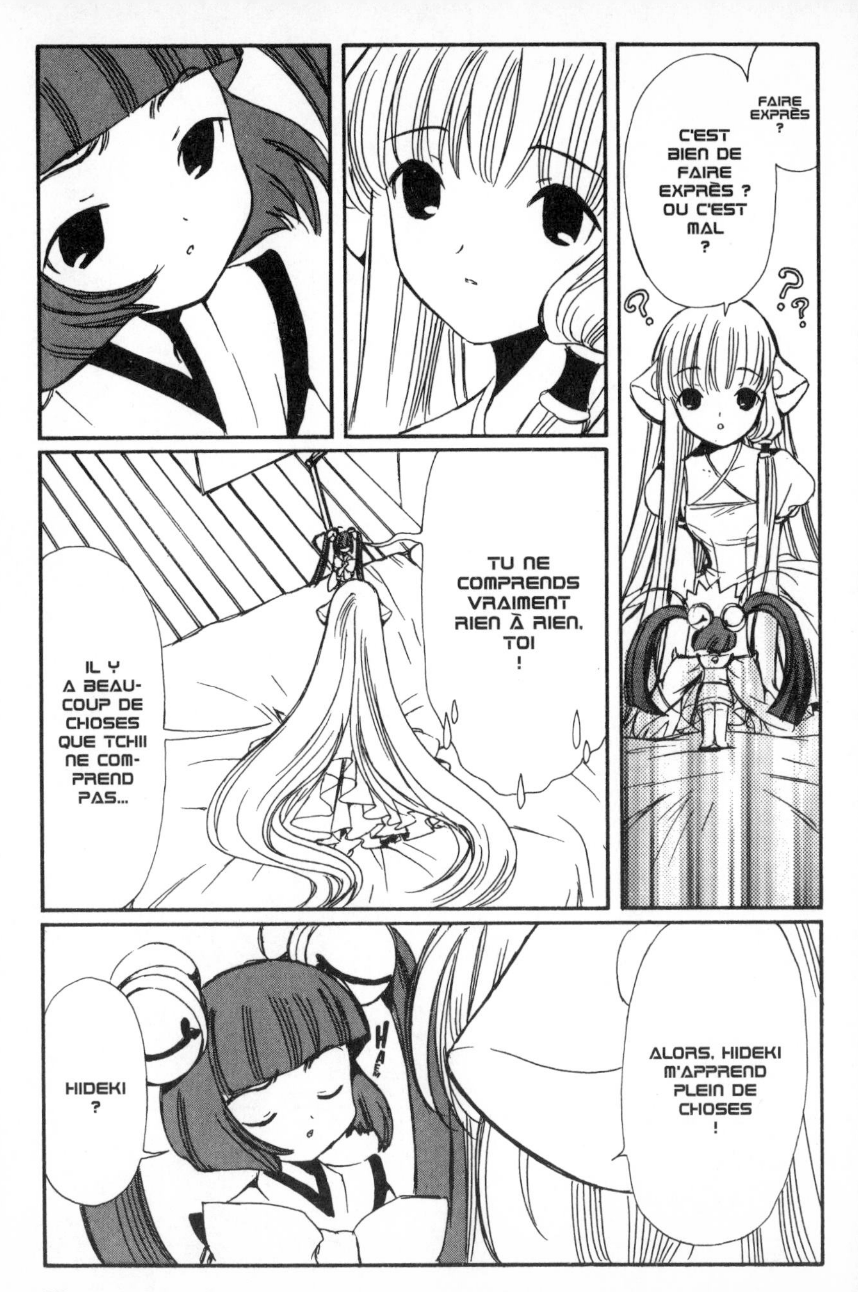
FAIRE EXPRÈS ?
C'EST BIEN DE FAIRE EXPRÈS ? OU C'EST MAL ?
TU NE COMPRENDS VRAIMENT RIEN À RIEN, TOI !
IL Y A BEAUCOUP DE CHOSES QUE TCHII NE COMPREND PAS...
ALORS, HIDEKI M'APPREND PLEIN DE CHOSES !
HAE
HIDEKI ?

UN JOUR, HIDEKI A TROUVÉ TCHII DANS LA RUE...
ET IL L'A RAMENÉE DANS SON APPARTE-MENT..
HIDEKI APPREND BEAUCOUP DE CHOSES À TCHII...
CLAC

CLAC
OUi, Y'A
PAS DE DOUTE,
C'EST BiEN TOi,
L'ORDi DONT iL
PARLAiT...

DUKALYON

IL EST QUELLE HEURE ?
IL EST 9 HEURES 16 MINUTES ET 20 SECONDES !
IL DOIT ENCORE ÊTRE EN TRAIN DE LA CHERCHER...
IL HABITE TOUT PRÈS D'ICI, ET ON EST ARRIVÉS AVANT LUI...

AH, LE VOILÀ !

MINORU
IL A L'AIR À BOUT DE FORCE !

IL S'INQUIÈTE VRAIMENT BEAUCOUP POUR SON ORDI...

C'EST UN MEC BIEN...

TAP
TAP
TAP
TAP
TAP
TAP
RHA RHA RHA RHA
TIENS !
PAF
RHA RHA RHA

GLOU
GLOU
HYAAAA
GLOU
GLOU

RÉTA-
BLISSE-
MENT
RÉUSSI
!
POF
TCHOC

M...
MERCI !
DÉSOLÉ
!
HAAA
JE
T'EN
PRIE

SI CE N'EST PAS UN ACCIDENT...

ÇA A UN RAPPORT AVEC CES FAMEUSES PHOTOS !

MAÎTRE MINORU, MONSIEUR MOTOSUWA...
JE SUIS NAVRÉE DE VOUS COUPER DANS VOTRE CONVERSATION...
OUI, YUZUKI ?
PUIS-JE INTERVENIR...
À PROPOS DU SUJET QUI VOUS INTÉRESSE ?

SI TU AS TROUVÉ QUELQUE CHOSE, BIEN SÛR QUE TU PEUX PARLER !

HUM

C'EST LOGIQUE DE PENSER QUE L'AUTEUR DE CES MAILS A UN RAPPORT AVEC CETTE DISPARITION...

POURTANT...
IL Y A UNE GRANDE PROBABILITÉ POUR QUE CE SOIT QUELQU'UN D'AUTRE LE RESPONSABLE...
CAR RÉCEMMENT, SUR DES FORUMS DÉDIÉS AUX ORDIS CUSTOMISÉS...
MAÎTRE MINORU A ENVOYÉ UN MESSAGE À PROPOS DE TCHII N'EST-CE PAS ?
CHAPITRE 42 - FIN

CHOBITS

- CHAPITRE 43 -

QUI ÊTES VOUS ?
JE M'APPELLE YOSHIYUKI KOJIMA !
YOSHIYOKI KOJIMA...
C'EST ÇA, MAIS TU PEUX M'APPELER YOSHIYUKI !

OÙ...
SOM-MES-NOUS ?
CHEZ MOI !
POF
CHEZ YOSHI-YUKI ?
OUI !

TOUT À L'HEURE, CE TRUC A PARLÉ...
CE TRUC ? JE NE SUIS PAS UN TRUC MOI ! J'AI UN NOM, MOI !
GRRR

TU AS UN NOM ?
CLAP
Zip
HOP
CLIC

KOTOKO
BIP

KOTOKO
MON NOM C'EST...
KOTOKO !
COMPRIS ?

KOTOKO !
TCHII A BIEN COMPRIS !
CE TRUC, C'EST KOTOKO !
ELLE MONTRE DU DOIGT
HUM HUM
GRRRRR
JE VIENS DE TE DIRE QUE JE NE SUIS PAS UN TRUC !

AHAHAHAH
TU NE COMPRENDS PAS ENCORE GRAND-CHOSE !
TCHII A ÉTÉ ENLEVÉE ?
UN ENLÈVEMENT ?
C'EST UN PEU ÇA, OUI...
POURQUOI ?
PARCE QUE JE VOULAIS
TE POSSÉDER !

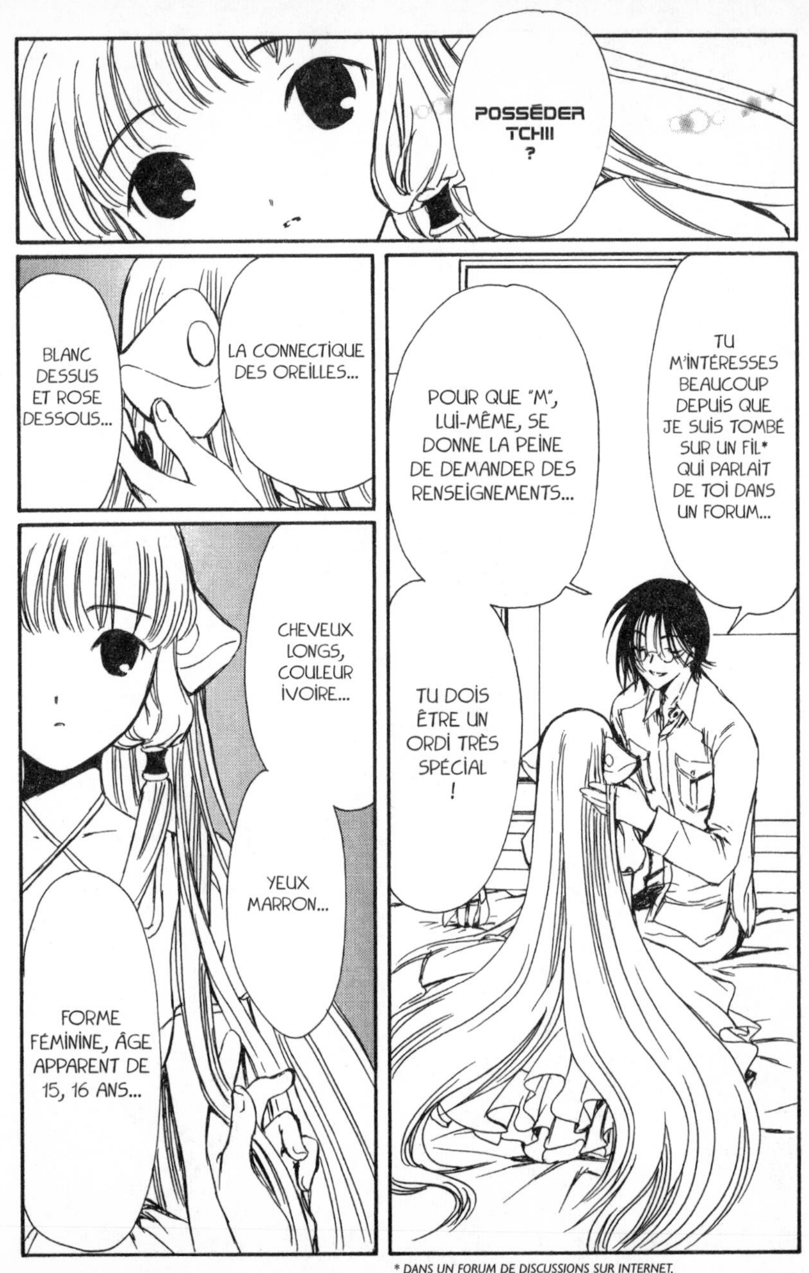

* DANS UN FORUM DE DISCUSSIONS SUR INTERNET, CHAQUE SUJET LANCÉ PORTE LE NOM DE "FIL".

QUAND JE T'AI VUE À LA LIBRAIRIE, J'AI COMPRIS TOUT DE SUITE..
PAS DE DOUTE, C'ÉTAIT BIEN TOI !
TU SAIS QUI T'A FABRIQUÉE ?
TCHII... NE SAIT PAS !
ÇA NE M'ÉTONNE PAS...
D'APRÈS CE QUE "M" A ÉCRIT SUR LE FORUM, ON DIRAIT QUE TA MÉMOIRE À ÉTÉ RÉINITIALISÉE...

CELUi QUi T'A TROUVÉE T'A BiEN EXAMiNÉE ?

EXAMI-NER ?
iL A REGARDÉ TON SYSTÈME ? OU TON PROCES-SEUR ?

HIDEKI N'A PAS EXAMINÉ...
HIDEKI A DIT QU'IL NE CONNAÎT PAS BIEN LES ORDIS.
NONNON
JE VOiS...

Si TU ES BiEN CE QUE JE PENSE, JAMAiS TON MAîTRE N'AURAiT DÛ TE LAiSSER SORTiR SEULE...
QUAND J'Ai VU EN PLEiNE ViLLE UN ORDi CORRESPONDANT, TRAiT POUR TRAiT, À LA DESCRiPTiON DE "M", JE N'EN CROYAiS PAS MES YEUX...
ON DiRAiT QUE CELUi QUi T'A TROUVÉE N'A AUCUNE iDÉE DE TA VALEUR !

LA VALEUR DE TCHII ?
PENDANT QUE TU ÉTAIS EN VEILLE, JE T'AI UN PEU EXAMINÉE...
CLIC
RÉSULTAT : MON ORDI A PLANTÉ DIRECT !
TU ES TRÈS SPÉCIALE...

IL EST
BIEN POSSIBLE
QUE TU SOIS
UN CHOBITS
!

* AU JAPON, IL EST COURANT DE DONNER COMME NOM À SON ANIMAL DOMESTIQUE LE CRI DE CET ANIMAL : OUAF OUAF POUR UN CHIEN, OU MIAOU POUR UN CHAT.

CELUI QUI T'A TROUVÉE AURAIT PU SE CREUSER LA TÊTE POUR TE TROUVER UN JOLI NOM !
MAIS...
NE T'EN FAIS PAS, VA ! MOI, JE T'EN TROUVERAI UN BEAUCOUP MIEUX...
KUUU
SI TU AS BESOIN DE QUELQUE CHOSE, DEMANDE À KOTOKO !

BON... À TOUT À L'HEURE !
CLAC

CLANG

MAIS...
C'EST HIDEKI QUI A CHOISI CE NOM !

HIDEKI A CHOISI CE NOM POUR TCHII !

DONC...
TCHII...
AIME BEAUCOUP CE NOM !
CHAPITRE 43 - FIN

CHOBITS

- CHAPITRE 44 -

BZZZ
HIBIYA
BIP BIP
HIBIYA
MOTOSUWA
JE SUIS DÉSOLÉE MOTO-SUWA...
MAIS...
C'EST POUR TON BIEN...
ET POUR CELUI DE TCHII-CHAN !

MOTOSUWA
CLAC
ÉVIDEMMENT, ELLE N'EST TOUJOURS PAS RENTRÉE...
MINORU M'AVAIT BIEN DIT DE FAIRE GAFFE...
POURQUOI JE L'AI LAISSÉ PARTIR SEULE ?
J'AURAIS DÛ L'ACCOMPAGNER JUSQU'À CHILOLU !

TCHII...
JE ME SOUVIENS DE LA DERNIÈRE FOIS...
ELLE AVAIT DISPARU SANS PRÉVENIR...
ELLE ÉTAIT PARTIE À LA RECHERCHE D'UN PETIT BOULOT...
POUF
TOUT ÇA POUR GAGNER UN PEU D'AR-GENT POUR ME FAIRE PLAISIR...

UN ORDI, ÇA MARCHE AVEC UN PRO-GRAMME...

TCHII AUSSI, BIEN SÛR.

ELLE FAIT TOUT POUR PLAIRE À SON MAÎTRE...
PEUT-ÊTRE QUE C'EST SON ANCIEN PROPRIÉ-TAIRE QUI LUI A APPRIS À FAIRE COMME ÇA.

MAIS POURQUOI DIABLE A-T-IL ABANDONNÉ TCHII ?

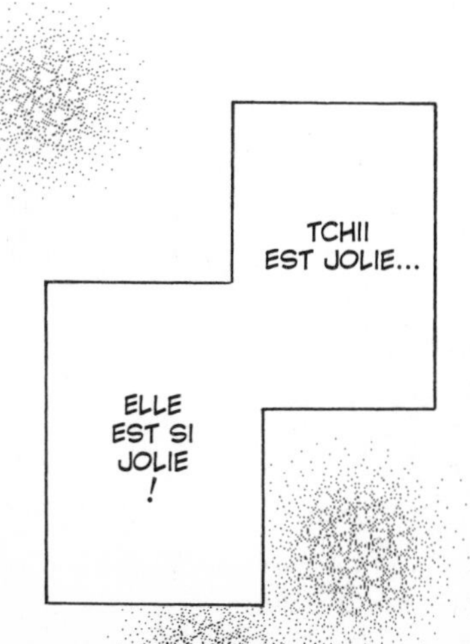
TCHII EST JOLIE...
ELLE EST SI JOLIE !

QUE S'EST-IL PASSÉ POUR QU'IL DÉCIDE DE S'EN DÉBARRASSER ?
PEUT-ÊTRE QU'IL EST MORT...
ET QU'ON A JETÉ SON ORDI DANS LA RUE...
JE VEUX PAS QUE TU MEURES !
TCHII...

TIP
TCHII, POURVU QU'IL NE TE SOIT RIEN ARRIVÉ DE GRAVE !

TÉLÉ-PHONE !
TÉLÉ-PHONE !
HEIN ?!
DJING DJING DJING
TU PEUX DÉCROCHER !
OUI !
ALLÔ ?
MOTOSUWA, T'ES LÀ ?
SHIMBO !?

JE SUIS DE RETOUR, LÀ...
JE VIENS D'ARRIVER !
VOILÀ, TAKAKO M'A ENFIN DIT OUI !
EUH... DIS-MOI...
EST-CE QU'UN ORDI PEUT SOUFFRIR ?
HEIN... MAIS QU'EST-CE QUE TU RACONTES ?

D'ACCORD, J'AI COMPRIS...

JE ME SOUVIENS QU'ELLE M'A DIT AVOIR UNE DOULEUR À LA POITRINE... ÇA VEUT DIRE QU'ELLE PEUT SOUFFRIR, NON ?
EN EFFET, C'EST POSSIBLE...
MAIS ON NE SAIT PAS GRAND-CHOSE DE CET ORDI EN FIN DE COMPTE...
NON ?
OUAIS !
DONC À MOINS DE DEMANDER DIRECTEMENT À L'ORDI, ON NE PEUT PAS EN ÊTRE SÛR !

JE VEUX BIEN, MOI, MAIS ELLE N'EST PLUS LÀ...

* FORMATER UN DISQUE DUR CONSISTE À LUI GRAVER UN SILLON VIDE AFIN DE LE PRÉPARER À RECEVOIR LES FUTURES DONNÉES. REFORMATER UN DISQUE DUR DÉJÀ REMPLI REVIENT À L'EFFACER COMPLÈTEMENT.

ÇA VA... ?
ÇA TE RASSURE
?

PETIT À PETIT
VILLE DÉSERTE ~
HIDEKI...
CHAPITRE 44 - FIN

CHOBITS

- CHAPITRE 45 -

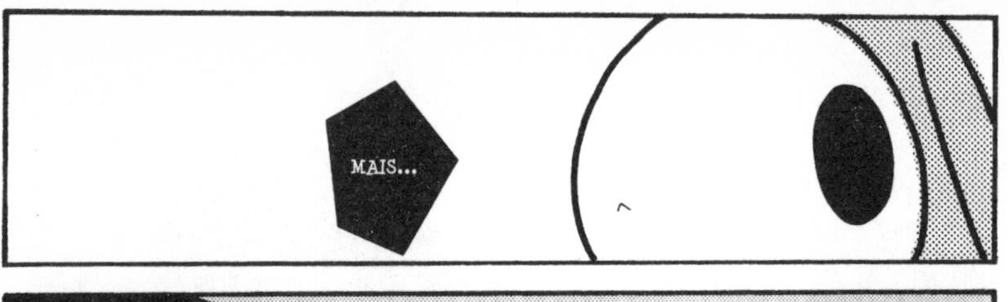
MAIS...

ON VA M'EMPÊCHER DE TROUVER CE QUELQU'UN RIEN QUE POUR MOI.
ON VA SÛREMENT VOULOIR M'EN EMPÊCHER.

MAIS...
IL PREND SOIN DE MOI...
SANS RIEN ATTENDRE EN RETOUR.

C'EST UN CŒUR PUR.
IL EST FONDAMENTALEMENT BON...
AVEC TOUT LE MONDE !
OUI...
IL EST GENTIL.
ET PAS SEULEMENT AVEC MOI...
MAIS SA GENTILLESSE PREND UNE FORME DIFFÉRENTE SELON LES GENS...
ON NE PEUT PAS ÊTRE GENTIL AVEC TOUT LE MONDE DE LA MÊME FAÇON.
IL EST HUMAIN.

OUI...
LE CŒUR D'UN ÊTRE HUMAIN CHANGE...
CHAQUE JOUR... PETIT À PETIT...
C'EST ÇA, LA CONDITION HUMAINE.
ET ALORS ?
ÇA NE ME DÉRANGE PAS !

À CONDITION...
QUE PETIT À PETIT, IL REMARQUE CE QUE J'AI DE DIFFÉRENT.
ET QU'ENFIN, IL PUISSE M'AIMER.

FLAP
PETIT À PETIT...
DIFFÉ-RENT...
TU ES VRAIMENT INSOUCIANTE. TU BOUQUINES DANS UN MOMENT PAREIL... ?!
JE ME DISAIS BIEN QUE TU TOURNAIS PAS ROND...

KOTOKO A TROUVÉ ?
QUOI DONC ?

QUELQU'UN QUI TROUVE KOTOKO DIFFÉRENTE...
QUELQU'UN QUI AIME KOTOKO SIMPLEMENT PARCE QUE KOTOKO EST KOTOKO...

COMMENT DIRAIS-JE ? ON PEUT DIRE QUE MON MAÎTRE EST TRÈS DOUÉ POUR TROUVER LA PARTICULARITÉ DE CHACUN DE SES ORDIS...
MAIS ON NE PEUT PAS APPELER ÇA DE L'AMOUR...
HUMMMMMM
TCHII ?

AVANT, PEUT-ÊTRE QUE JE L'INTÉRES-SAIS DANS UN CERTAIN SENS...
MAIS JE PENSE QUE CE N'EST PLUS LE CAS DÉSORMAIS...
L'INTÉ-RESSER ?
ÇA VEUT DIRE LUI PLAIRE ?
HUMM
EH BIEN...
KOTOKO
OUI, INTÉRESSER, C'EST PLAIRE AUSSI D'UNE CERTAINE MANIÈRE...
C'EST UNE FORCE D'ATTRACTION.
YOSHIYUKI AIMAIT KOTOKO AVANT MAIS PLUS MAINTENANT ? YOSHIYUKI AIME QUELQU'UN D'AUTRE ALORS ?
VOUI
EN EFFET...
QUI ?
TOI !
POUIC

TCHII ?
MAIS POUR-QUOI ?
PARCE QU'IL CROIT QUE TU ES UN "CHOBITS" !
QU'EST-CE QUE C'EST ?
PERSONNE N'EST CAPABLE DE RÉPONDRE À CETTE QUESTION...
LA SÉRIE DES CHOBITS EST UNE GAMME D'ORDIS VRAIMENT TRÈS SPÉCIAUX... ON NE SAIT MÊME PAS S'ILS EXISTENT VRAIMENT...

SPÉCIAUX...
SI JE M'EN RÉFÈRE À MON ENCYCLOPÉDIE INTERNE...
1 : QUI CONCERNE UNE ESPÈCE, UNE SORTE DE CHOSE (OPPOSÉE À GÉNÉRAL)
2 : QUI EST PROPRE, PARTICULIER À...
3 : QUI PRÉSENTE DES CARACTÉRISTIQUES PARTICULIÈRES DANS SON GENRE...
COMPRIS ?
YOSHIYUKI A DIT QUE TCHII EST SPÉCIALE...
QU'EST-CE QUE ÇA VEUT DIRE ?
ALORS ÇA VEUT DIRE DIFFÉRENT ?
C'EST UN PEU RÉDUCTEUR, MAIS C'EST À PEU PRÈS ÇA...

YOSHIYUKI VA TROUVER CE EN QUOI TCHII EST DIFFÉRENTE ?
SANS AUCUN DOUTE !
IL T'A RAMENÉE ICI POUR ÇA !
HUM HUM
ON PEUT MÊME PARLER D'UN ENLÈVEMENT !
MAIS...
TCHII ET HIDEKI...
HIDEKI, C'EST CELUI QUI T'A TROUVÉE ?
OUI !

HIDEKI EST VRAIMENT TRÈS GENTIL, N'EST-CE PAS ?
KO-TOKO...
A DEVINÉ ?
IL SUFFIT DE VOIR TON VISAGE QUAND TU PENSES À LUI...
HIDEKI EST TRÈS GENTIL AVEC TCHII !
QUAND HIDEKI EST CONTENT, TCHII A ENVIE DE SOURIRE...

TCHII
Kotoko appartient à Yoshiyuki ?
KOTOKO
Oui, j'ai été fabriquée spécialement pour lui !

Kotoko fait à peu près la même taille que Sumomo...
POUF

Sumomo, c'est l'ordi de poche d'un ami de Hideki...
Mais elle est restée chez Hideki.
GRRRR
Ôte tes grosses paluches de ma tête délicate !
Sumomo ? Jamais entendu parler !
Essaie d'avoir un discours cohérent !

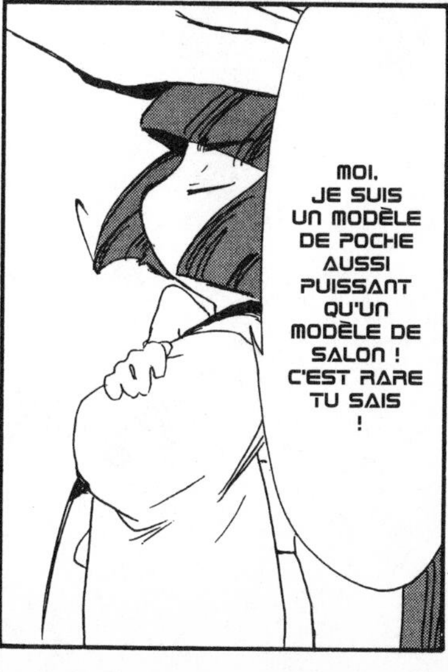
Moi, je suis un modèle de poche aussi puissant qu'un modèle de salon ! C'est rare tu sais !

C'est bien d'être puissant ?

Mon maître semble apprécier en tout cas...

QUOI QU'IL EN SOIT...
L'INTÉRÊT DES HUMAINS DISPARAÎT PEU À PEU SI ON NE LE RENOUVELLE PAS...
ILS CHERCHENT TOUJOURS LA NOUVEAUTÉ ET L'EXPÉRIENCE INÉDITE...
TU VOIS...
MON MAÎTRE S'INTÉRESSE À TOI MAIN-TENANT...
ET TU SAIS...
TON HIDEKI AUSSI, C'EST UN HUMAIN !
CHAPITRE 45 - FIN

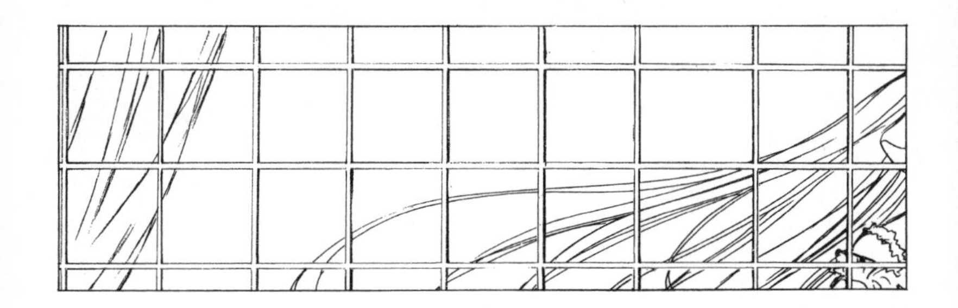

- CHAPITRE 46 -

MERCI BEAUCOUP !
CHILOLU
CRI
BONSOIR !
HIDEKI !

NON
ALORS, TU AS RETROUVÉ TCHII ?
C'EST PAS GRAVE ÇA, VOYONS !
TCHII-CHAN A ÉTÉ UNE TRÈS BONNE EMPLOYÉE !
JE N'AURAIS JAMAIS DÛ TE DEMANDER DE L'EMBAUCHER, MAINTENANT QU'ELLE A DISPARU, TU TE RETROUVES ENCORE SEUL AU MAGASIN...
MAIS DIS-MOI...
TU M'AS BIEN DIT QUE TCHII AVAIT TOUT OUBLIÉ DE SON PASSÉ ?
OUI...

ALORS, ELLE NE CONNAÎT PERSONNE D'AUTRE... QU'A-T-IL PU LUI ARRIVER ?
BON !
ET SI ON LA CHERCHAIT ENSEMBLE ?

QUOI !?
OUI, MAIS... LE MAGASIN !
FLAP
DE TOUTE FAÇON, J'ALLAIS FERMER... ET PUIS JE CONNAIS PRESQUE TOUS LES COMMERÇANTS DANS LE QUARTIER... ON VA ALLER LEUR DEMANDER S'ILS ONT REMARQUÉ QUELQUE CHOSE...
TAP TAP TAP
ATTENDS-MOI JUSTE UN INSTANT !

HIDEKI
!
TCHII...

CLOSED
CLOSED
MAIS C'EST HIDEKI... AVEC LE PATRON...

TU AS CHERCHÉ PAR LÀ... NON ?
OUI !
TCHii A DiSPARU ALORS QU'ELLE ÉTAiT EN ROUTE VERS LA BOUTiQUE...
JE PENSE QU'ON POURRAiT COMMENCER PAR ALLER VOiR LES COMMERÇANTS DE CETTE RUE...

FLAP
JE SUIS DÉSOLÉ, JE NE PEUX PAS VOUS AIDER !
TANT PIS !
MERCI QUAND MÊME...
JE NE ME DOUTAIS PAS QUE CETTE PHOTO ME SERVIRAIT UN JOUR...

UN ORDI AUX CHEVEUX LONGS... ?
ÇA NE ME DIT RIEN... VOUS AVEZ DÉJÀ DEMANDÉ AUX AUTRES ?
ON A FAIT TOUTE LA RUE...
VOUS SAVEZ, CERTAINS EMPLOYÉS NE TRAVAILLENT PAS TOUS LES JOURS... PEUT-ÊTRE QUE L'UN D'ENTRE EUX SAIT QUELQUE CHOSE...

ON POURRAIT LEUR DEMANDER... SI VOUS AVEZ UN ORDI, ON N'A QU'À LES APPELER TOUT DE SUITE...
AH...
PARDON, C'EST VRAI QUE VOUS N'UTILISEZ PAS D'ORDI !
OUI...
COURBETTE
BON...
JE M'EN OCCUPE !
SI J'APPRENDS QUELQUE CHOSE, JE VOUS FERAI SIGNE !
MERCI BEAUCOUP !

TAP
TAP TAP
J'ESPÈRE QU'ELLE A RAISON...
BLOUM
MERCI BEAUCOUP POUR TON AIDE !
MAIS NON, JE T'EN PRIE !
C'EST NORMAL, IL FAUT TROUVER TCHII-CHAN !
N'EST-CE PAS ?
ÇA NE VA PAS ?
JE SUIS MORT D'INQUIÉ-TUDE !
MAIS EST-CE QUE ÇA A UN SENS ?
EST-CE QU'IL FAUT S'INQUIÉTER ?

EN TOUT CAS, TCHII DOIT ÊTRE INQUIÈTE...
ELLE ÉTAIT TELLEMENT ATTACHÉE À TOI !
MAIS...
MÊME SI C'EST LE CAS...
IL PARAÎT QU'ELLE N'EST RIEN D'AUTRE QU'UN DISQUE DUR QU'ON PEUT REFORMATER.
HIDEKI...

POF
VIENS, ON VA PARLER TRANQUILLEMENT...
JE T'OFFRE À BOIRE !

TOP
JE VOIS...

DEPUIS QUE SHIMBO M'A DIT ÇA...
JE NE SAIS PLUS CE QUE JE DOIS FAIRE...
BIEN SÛR, JE M'INQUIÈTE POUR ELLE, ET JE FAIS TOUT POUR LA RETROUVER LE PLUS VITE POSSIBLE...
MAIS QU'EST-CE QUE ÇA REPRÉSENTE POUR ELLE ?
JE SUIS SÛR QU'ELLE AVAIT UN MAÎTRE AVANT...
MAIS ELLE L'A COMPLÈTE-MENT OUBLIÉ...
TCHII EST UNE MACHINE !
TU COM-PRENDS ?
C'EST SI SIMPLE DE LUI EFFACER SA MÉMOIRE...
AHLÀLÀLÀ
DÉSOLÉ, JE PERDS LES PÉDALES !
JE SAIS MÊME PLUS CE QUE JE DIS...

CHAPITRE 46 - FIN

CHOBITS

- CHAPITRE 47 -

MARIÉ, TU DIS ?
MAIS...

ON NE S'EST PAS INSCRITS À L'ÉTAT CIVIL...
ON A JUSTE FAIT UNE PETITE CÉRÉMONIE...
ON A LE DROIT DE FAIRE ÇA ?!
LA LOI NE PRÉVOIT PAS ENCORE CE CAS DE FIGURE...
MAIS IL EST POSSIBLE DE LÉGUER SON HÉRITAGE À UN ORDI, OU D'EN FAIRE LE BÉNÉFICIAIRE D'UNE ASSURANCE...

TU SAVAIS QU'IL Y A DES GENS QUI FONT HÉRITER LEUR CHIEN OU LEUR CHAT ?
EH BIEN, LÀ, C'EST PAREIL !

MAIS UN ORDI, C'EST...

UNE MACHINE !

MAIS IL Y A DES GENS POUR QUI...
CES MACHINES PRENNENT PLUS D'IMPORTANCE QU'UN VULGAIRE APPAREIL ÉLECTROMÉNAGER...

EN CE QUI ME CONCERNE, C'EST CE QU'ELLE REPRÉSENTAIT POUR MOI...
LE JOUR OÙ JE L'AI VUE DANS UN MAGASIN...
ON ACHEVAIT LES TRAVAUX DE LA PÂTISSERIE CHILOLU...

SERIE CHILOLU
QUAND J'AI PU PRENDRE LA BOUTIQUE, ÇA FAISAIT DIX ANS QUE J'ÉTAIS SORTI DE L'UNIVERSITÉ ET QUE J'ÉTUDIAIS LA PÂTISSERIE...
IL Y A DÉJÀ SEPT ANS...

ATTENDS VOIR !?
7 ANS PLUS 10 ANS... DEPUIS LA FIN DE LA FAC...
MAIS ÇA TE FAIT QUEL ÂGE ?

J'AURAI 39 ANS CETTE ANNÉE !
HEiiiiiiiiiiiN !?

JE NE LES FAIS PAS, NON ?
CERTAINS PENSENT QUE J'AI ENCORE LA VINGTAINE...
MOI AUSSI, JE TE DONNAIS 25-26 ANS MAXI !
WHAAAAA

J'ÉTAIS TELLEMENT HEUREUX QUAND J'AI PU AVOIR MON PETIT MAGASIN...

J'AI JURÉ SUR MON ENSEIGNE DE TOUJOURS FAIRE DE MON MIEUX POUR OFFRIR LES MEILLEURS GÂTEAUX À MA CLIENTÈLE...
LE SEUL PROBLÈME...

C'EST QUE LE CALCUL ET MOI, ÇA FAIT DEUX...
OUI... JE SAIS...
ÇA N'A JAMAIS ÉTÉ TON FORT !
QUAND J'ÉTAIS TON EMPLOYÉ, TU TE PLANTAIS TOUT LE TEMPS !

POURTANT, J'ARRIVE À DOSER PARFAI-TEMENT LES INGRÉDIENTS POUR FAIRE UN GÂTEAU...
JE SAIS BIEN... MAIS TU NE PEUX PAS TENIR LA CAISSE ET T'OCCUPER DES CLIENTS EN MÊME TEMPS !

JE FAISAIS DÉJÀ BEAUCOUP D'ERREURS LORSQUE J'ÉTUDIAIS LA PÂTISSERIE...
ET QUAND JE SUIS DEVENU MON PROPRE PATRON, J'AI DÉCIDÉ QUE ÇA NE DEVAIT PLUS SE PASSER COMME ÇA...
J'AI DONC DÉCIDÉ DE M'OFFRIR UN ORDI...
DANS LE MAGASIN, IL Y AVAIT TOUTES SORTES D'ORDIS SUR LE PRÉSEN-TOIR...
MAIS JE N'Y CONNAISSAIS ABSOLUMENT RIEN, ET J'AVAIS BIEN DU MAL À CHOISIR...
LE VENDEUR M'A CONSEILLÉ LE DERNIER MODÈLE... MAIS, MOI, JE NE VOYAIS AUCUNE DIFFÉRENCE...
C'EST LÀ QUE...
JE L'AI TROUVÉE !

ELLE ÉTAIT AU FOND DU MAGASIN.
SES CHEVEUX ÉTAIENT POUSSIÉREUX, ELLE ÉTAIT EN PROMOTION...
JE ME SUIS RENSEIGNÉ AUPRÈS DU VENDEUR...
IL M'A DIT QU'ELLE N'ÉTAIT, PAS CHER, MAIS QU'ELLE DATAIT DÉJÀ DE TROIS ANS, QUE SON SYSTÈME D'EXPLOITATION ÉTAIT DÉPASSÉ, QUE SON PROCESSEUR ÉTAIT TROP LENT ET QU'UN DÉBUTANT AURAIT BEAUCOUP DE MAL À S'EN SERVIR...
SEAL
BARGAIN
C'ÉTAIT LE PLUS VIEUX MODÈLE DU MAGASIN !
J'AI VOULU SAVOIR CE QU'ELLE ALLAIT DEVENIR...
ON M'A RÉPONDU QU'ELLE PRENAIT DE LA PLACE...
QUE L'ENTREPÔT ÉTAIT DÉJÀ PLEIN, ET QUE BIENTÔT, ELLE PARTIRAIT À LA DÉCHARGE !

JE L'AI ACHETÉE IMMÉDIATEMENT, SANS RÉFLÉCHIR !
??
JE SUIS RENTRÉ CHEZ MOI ET, APRÈS AVOIR UN PEU POTASSÉ LE MANUEL, J'AI RÉUSSI À LA METTRE EN ROUTE...
MANUEL
ALORS, ELLE M'A FAIT LE PLUS BEAU DES SOURIRES !
BON-JOUR !

C'ÉTAIT SES PREMIÈRES PAROLES...
À CE MOMENT PRÉCIS, JE SUIS TOMBÉ AMOUREUX, MAIS JE NE M'EN RENDAIS PAS ENCORE COMPTE !
C'EST FOU, NON ?
UN HOMME ADULTE ET ÉQUILIBRÉ, QUI TOMBE AMOUREUX D'UN ORDI...
ÇA N'A RIEN D'ANORMAL !
JE NE VOIS PAS POURQUOI TU DIS ÇA !

HÉ...
ENSUITE, JE LUI AI ACHETÉ UNE TENUE DE TRAVAIL...
ET J'AI DÛ PRENDRE UN LOGICIEL DE COMPTABILITÉ POUR QU'ELLE M'ASSISTE DANS MON TRAVAIL...
BIEN SÛR, CE N'ÉTAIT PAS FACILE TOUS LES JOURS...
MAIS J'EN GARDE UN BON SOUVENIR !
ELLE ÉTAIT TOUJOURS SOURIANTE !
ELLE ME RÉCONFORTAIT, ELLE PARTAGEAIT MES JOIES !
UN JOUR, J'AI RÉALISÉ QUE J'ÉTAIS AMOUREUX D'ELLE... QUE J'ÉTAIS AMOUREUX D'UN ORDI...

J'ÉTAIS DÉCIDÉ !
JE VOULAIS VIVRE MA VIE À SES CÔTÉS !
DANS CE GENRE DE SITUATION...
ON FAIT SA DEMANDE EN MARIAGE...
N'EST-CE PAS ?
SÛ... SÛREMENT !
JE N'AI JAMAIS CONNU CE SENTIMENT, MAIS...
HÉ HÉ
JE LUI AI DONC FAIT MA DEMANDE...
ELLE A ACCEPTÉ SANS HÉSITER !
ELLE AVAIT UN VISAGE RADIEUX !
J'AI CONTACTÉ IMMÉDIATEMENT UN AVOCAT POUR ME RENSEIGNER SUR LA PROCÉDURE...
TON ENTOURAGE NE S'EST PAS OPPOSÉ À TA DÉCISION ?
MES PARENTS ÉTAIENT DÉJÀ MORTS, ALORS...
AH, PARDON. JE SUIS NAVRÉ !

À CETTE ÉPOQUE, C'ÉTAIT QUELQUE CHOSE DE TRÈS RARE...
IL Y EU MÊME UN ARTICLE DANS LE JOURNAL...
ET LE VOISINAGE RIAIT DE NOUS !
JE LUI AI OFFERT UNE ROBE DE MARIÉE, ET NOUS SOMMES ALLER FÊTER ÇA DANS UN PETIT RESTAURANT.
C'ÉTAIT EN JUIN...
JE SAVAIS QUE ÇA N'AVAIT AUCUNE VALEUR JURIDIQUE, MAIS J'AI QUAND MÊME ACHETÉ DES ALLIANCES.
NOUS LES AVONS PASSÉES À NOS DOIGTS...
JE PENSE QUE BEAUCOUP M'ONT PRIS POUR LE DERNIER DES FOUS !
MAIS J'ÉTAIS HEUREUX !
ÊTRE À SES CÔTÉS ET VOIR SON SOURIRE SUFFISAIT À MON BONHEUR.

MAIS...
AU BOUT
D'UN AN...
ELLE A
COMMENCÉ
À MONTRER
DES SIGNES
INQUIÉTANTS...
CHAPITRE 47 - FIN

CHOBITS

- CHAPITRE 48 -

DES SIGNES INQUIÉTANTS ?
PROGRESSIVEMENT...
ELLE A COMMENCÉ À PERDRE LA MÉMOIRE...
AU DÉBUT, JE CROYAIS QUE C'ÉTAIT MOI QUI ME TROMPAIS...
MAIS ELLE OUBLIAIT DES CHOSES SIMPLES... COMME CE QUI S'ÉTAIT PASSÉ LA VEILLE, OU COMMENT RANGER LES INGRÉDIENTS...
ÇA DEVENAIT DE PLUS EN PLUS GRAVE...
LE TEMPS DE PASSER DERRIÈRE LA CAISSE, ELLE AVAIT DÉJÀ OUBLIÉ LA COMMANDE DU CLIENT !

J'AI LU QUELQUES REVUES SUR LA QUESTION...
ET J'AI FAIT TOUT CE QUE J'AI PU POUR LA RÉPARER !
MAIS RIEN À FAIRE...
ALORS...
JE L'AI EMMENÉE CHEZ UN RÉPARATEUR...
LE DISQUE DUR EST FICHU ET LE PROCESSEUR EST DÉJÀ DÉPASSÉ. ELLE NE VA PAS DURER LONGTEMPS...
ME DIT-IL ALORS...
JE LUI AI DEMANDÉ DE LA RÉPARER...
IL POUVAIT REMPLACER LE DISQUE DUR, MAIS COMME C'ÉTAIT UN VIEUX MODÈLE...
IL NE POUVAIT PAS SAUVEGARDER LA TOTALITÉ DES DONNÉES AVANT LA RÉPARATION.
JE NE COMPRENAIS PAS TROP CE QU'IL VOULAIT DIRE...

TOUTES LES DONNÉES ENREGISTRÉES DEPUIS SON DÉMARRAGE SERONT PERDUES, A-T-IL AJOUTÉ...
EN RÉSUMÉ, ÇA VOULAIT DIRE QU'ELLE PERDRAIT TOTALEMENT LA MÉMOIRE !
JE TROUVAIS ÇA TRISTE ET INJUSTE POUR ELLE !
MAIS LE TECHNICIEN A AJOUTÉ...
NE VOUS INQUIÉTEZ PAS COMME ÇA...
CET ORDI NE RESSENTIRA NI DOULEUR NI PEINE...
PARCE QU'ON VA COMPLÈTEMENT LUI EFFACER SA MÉMOIRE !

JE NE VOULAIS SURTOUT PAS QU'ELLE OUBLIE TOUT CE QU'ON AVAIT VÉCU... J'AI EU BEAU FAIRE LE TOUR DE TOUTES LES BOUTIQUES...
J'AI TOUJOURS OBTENU LA MÊME RÉPONSE...
JE L'AI DONC RAMENÉE À LA MAISON SANS LA FAIRE RÉPARER...
MAIS C'EST DEVENU DE PIRE EN PIRE...
ELLE OUBLIAIT TOUT EN QUELQUES SECONDES...

ET FINALEMENT, UN JOUR ELLE M'A DIT :
BON-JOUR !
QUI ÊTES-VOUS ?

MALGRÉ ÇA, JE NE POUVAIS PAS ME RÉSOUDRE À LA FAIRE RÉPARER...
MÊME SI C'ÉTAIT TRÈS RARE, ELLE AVAIT PARFOIS UN ÉCLAIR DE LUCIDITÉ...
ET IL LUI ARRIVAIT DE SE SOUVENIR DE MOI...
COMMENT ACCEPTER D'EFFACER LE PEU QUI LUI RESTAIT ?
ÇA A CONTINUÉ COMME ÇA JUSQU'À CE SOIR LÀ... C'ÉTAIT UNE NUIT PLUVIEUSE...
J'ÉTAIS SORTI AVEC ELLE POUR FAIRE DES COURSES...
SON ÉTAT COMPLIQUAIT BEAUCOUP LA VIE QUOTIDIENNE...
JE NE POUVAIS PAS LA LAISSER SEULE, C'ÉTAIT TROP DANGEREUX !

ÇA FAISAIT PLUSIEURS NUITS QUE JE NE DORMAIS PLUS À CAUSE D'ELLE...
J'ÉTAIS COMPLÈ-TEMENT DANS LES VAPES...
J'AI FAILLI ME FAIRE RENVERSER PAR UNE VOITURE...
J'AI VRAIMENT CRU QUE J'ALLAIS Y PASSER...
ALORS ELLE S'EST JETÉE SUR MOI... ET ELLE M'A SAUVÉ...

J'AI COURU VERS ELLE... JE L'AI PRISE DANS MES BRAS...
ELLE AVAIT BEAU ÊTRE DANS UN SALE ÉTAT...
ELLE M'A SOURI...
BONJOUR...
ÉVIDEMMENT, VU CE QU'IL RESTAIT DE SA MÉMOIRE...
PEUT-ÊTRE QU'ELLE NE POUVAIT PAS COMPRENDRE LE DANGER QUE REPRÉSENTAIT UNE VOITURE...
MAIS... JE SUIS POURTANT CONVAINCU QU'ELLE A FAIT ÇA DÉLIBÉRÉMENT POUR ME SAUVER.

JE SUIS STUPIDE !
ELLE A DÛ FAIRE ÇA PAR INCONSCIENCE.
ÇA N'A RIEN DE STUPIDE !
KYU
MOI AUSSI...
JE SUIS SÛR QU'ELLE A VOULU TE SAUVER !
MERCI...

APRÈS L'ACCIDENT, JE L'AI RAMENÉE TOUT DE SUITE AU MAGASIN...
J'AI PARLÉ AU VENDEUR...
IL M'A DIT : ELLE EST COMPLÈTEMENT CASSÉE. ON NE POURRA PLUS LA REDÉMARRER.
LE CORPS AUSSI EST INUTILISABLE !
SI VOUS AIMEZ CE DESIGN, JE PEUX COMMANDER UN ORDI AVEC LE MÊME VISAGE !

MAIS, POUR MOI, ELLE ÉTAIT IRREMPLAÇABLE !

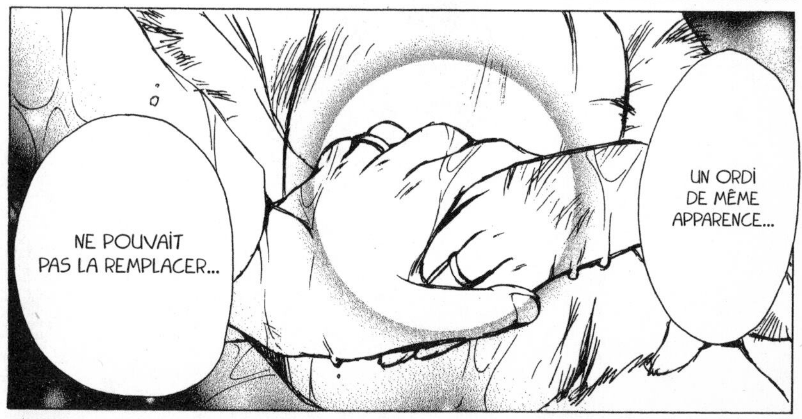
UN ORDI DE MÊME APPARENCE...
NE POUVAIT PAS LA REMPLACER...

C'ÉTAIT UNE MACHINE...
PAS UN ÊTRE VIVANT !
MAIS POUR MOI...
ELLE EST MORTE CE JOUR-LÀ !
J'AI CONSERVÉ SA DÉPOUILLE POUR SES FUNÉRAILLES...
DÉSORMAIS, ELLE NE PEUT PLUS RIEN APPRENDRE...
NI RESSENTIR QUOI QUE CE SOIT...

MAIS MOI, JE ME SOUVIENS...
JE ME SOUVIENS D'ELLE...
DE SON VISAGE...
DE SA VOIX, DE SES HABITUDES...
DES MOMENTS HEUREUX ET DES MOMENTS DIFFICILES PASSÉS ENSEMBLE...
JE NE POURRAI JAMAIS OUBLIER !
C'EST PAREIL POUR TOI, NON ?
MÊME SI TCHII-CHAN OUBLIE TOUT, TOI TU TE SOUVIENDRAS !
S'IL ARRIVE MALHEUR À TCHII-CHAN, TU AURAS DU MAL À L'OUBLIER, NON ?
C'EST VRAI...

ON NE PEUT PAS FAIRE COMME S'IL NE S'ÉTAIT RIEN PASSÉ...
MÊME SI SON DISQUE DUR EST REFORMATÉ, C'EST TOI QUI EN GARDERAS LE SOUVENIR...
ALORS, SI TU T'INQUIÈTES POUR TCHII-CHAN...
TU DOIS LA RETROUVER LE PLUS VITE POSSIBLE !
OUI... !
FIN DU VOLUME 4 - À SUIVRE

- À SUIVRE -

Titre original :
CHOBITS, VOL. 4

First published in Japan in 2001
by Kodansha Ltd., Tokyo
French publication rights
arranged through Kodansha Ltd.

French translation rights : Pika Édition

Traduction et adaptation :
Suzuka Asaoka et Alex Pilot
Lettrage : Sébastien Douaud

ISBN : 2-84599-241-6
Dépôt légal : mai 2003
Achevé d'imprimer en Belgique
par Walleyn graphics en février 2004
Diffusion : Hachette Livre

ATTENTION, SENS INTERDIT !

Ceci est la dernière page du
quatrième épisode de Chobits
Pour lire le début de ce volume,
il faut retourner le livre.

Une petite explication vous donnera
le mode d'emploi du sens de lecture,
fidèle à l'original, de droite à gauche,
selon le souhait de son auteur,
CLAMP.